中國著名碑帖選集

51

淮源廟碑

東漢

吉林文史出版社

清・陳鴻壽題簽

漢淮源廟之碑

延熹六年正月八日乙酉　南陽太守中

山盧奴□君　處正好禮　尊神敬祀　以淮

出平氏　始於大復　潛行地中　見于陽口

立廟桐柏　春秋宗奉　灾畢告愬　水旱請

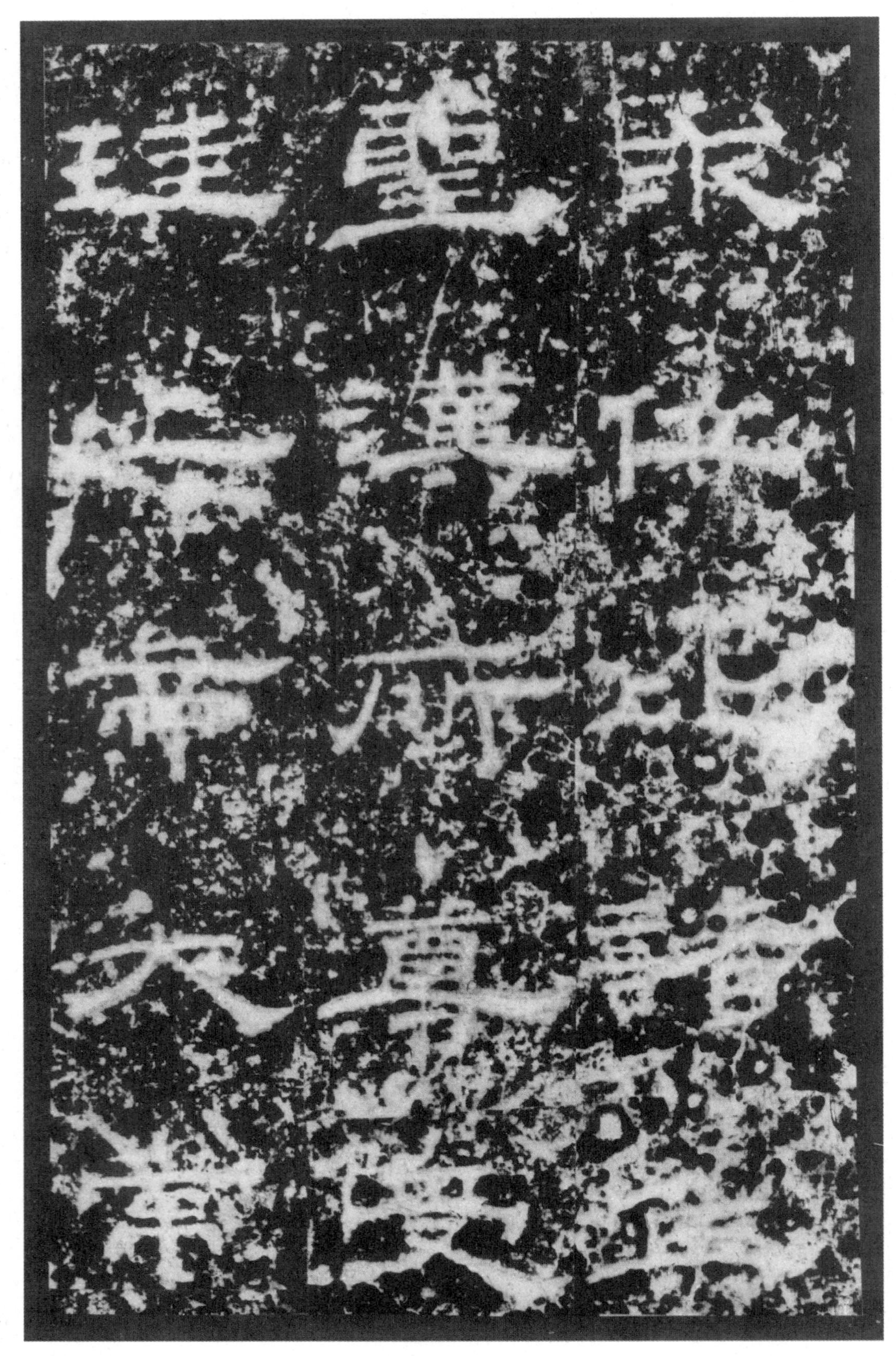

求　位比諸侯　聖漢所尊　受珪上帝　太常

定甲　郡守奉祀　禴絜沉祭　從郭君以來

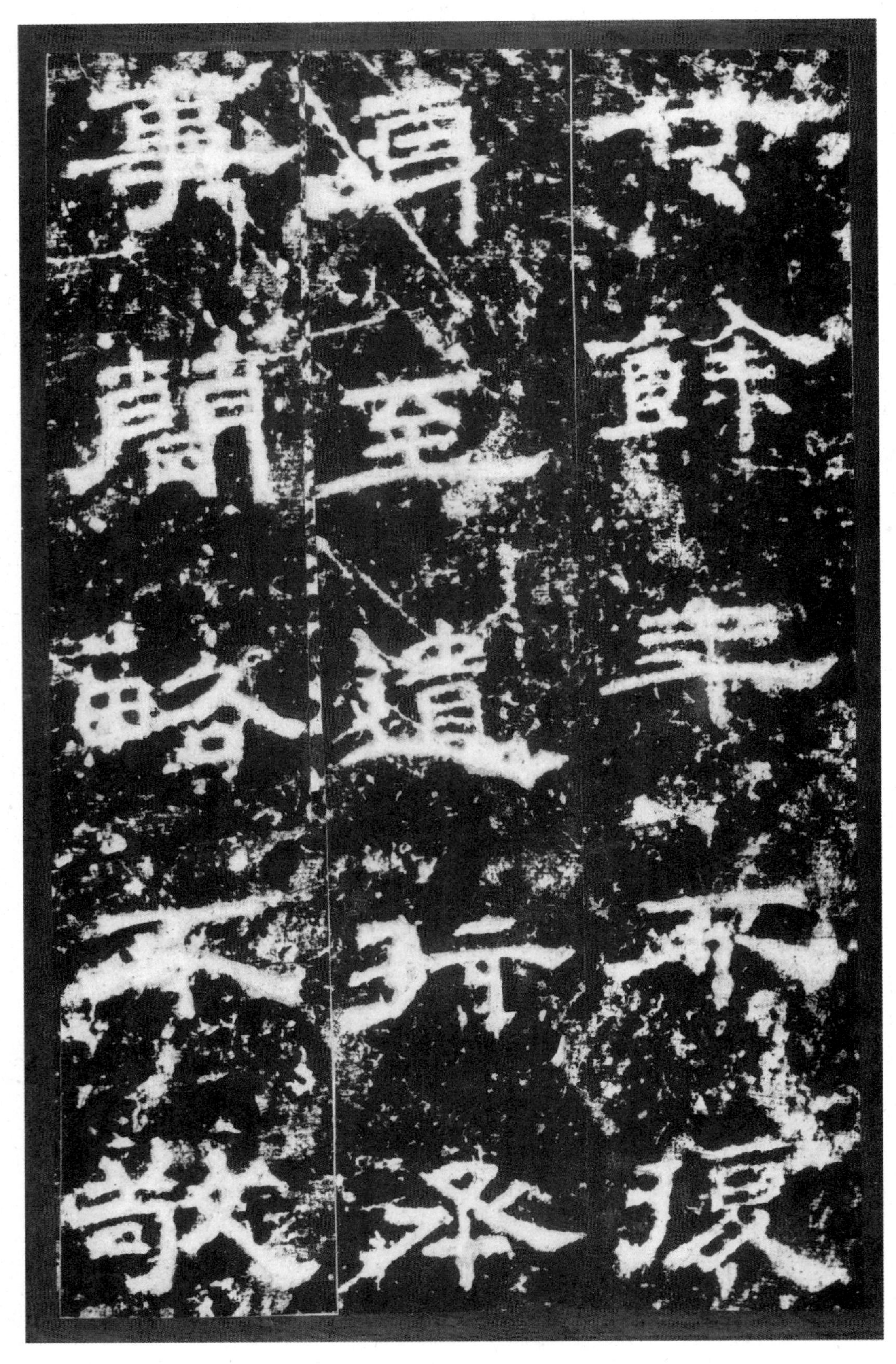

廿餘年　不復身至　遣行丞事　簡略不敬

明神弗歆　灾害以生　五嶽四瀆　與天合

德　仲尼慎祭　常若神在　君準則大聖　親

之桐柏　奉見廟祠　崎嶇逼狹　開祏神門

立闕四達　增廣壇場　飭治華蓋　高大殿

宇　□齊傳館　石獸表道　靈龜十四　衢廷

天地清和　嘉祥昭格　禽獸碩茂　草木芬

芳　梨庶賴祉　民用作頌　其辭曰

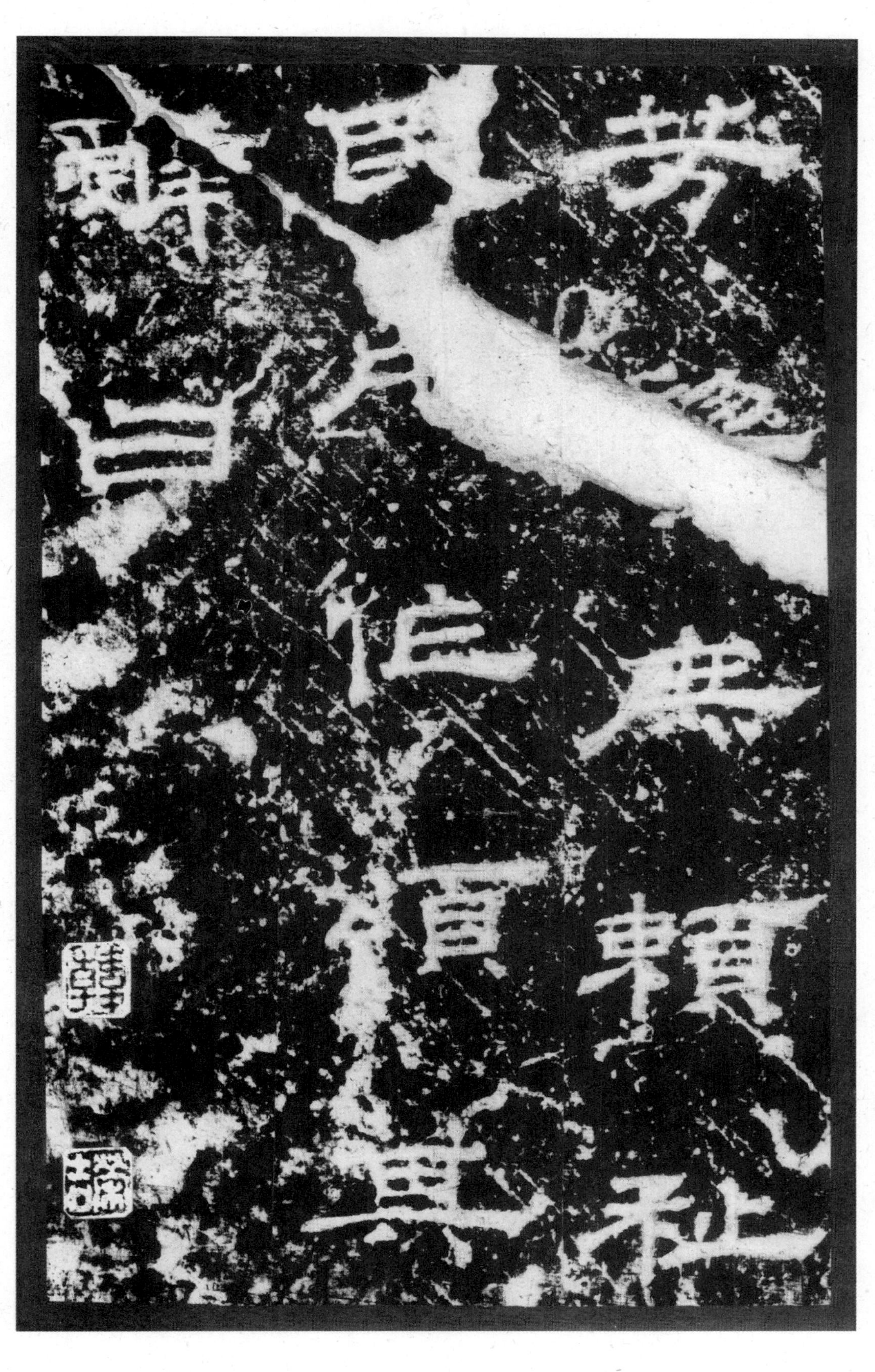

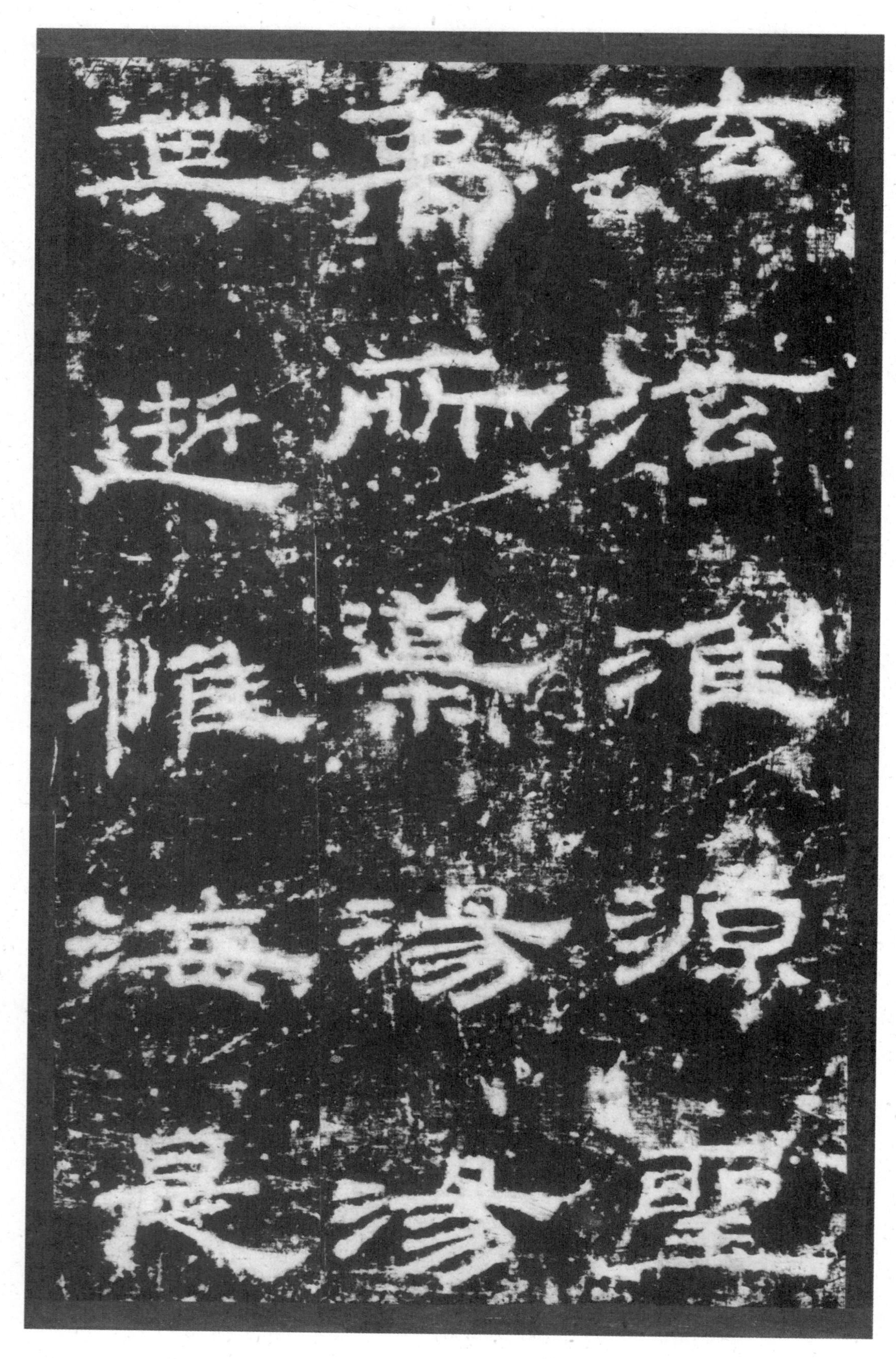

泫泫淮源　聖禹所導　湯湯其逝　惟海是

造　疏穢濟遠　柔順其道　弱而能强　仁而

能武　晝夜明哲所取　寔爲四瀆　與河合

矩　烈烈明府　好古之則　虔恭禮祀　不

愆其德　惟前廢弛　匪躬匪力　灾眚以興

陰陽以忒　陟彼高岡　臻茲廟側　肅肅其

敬　靈祇降福　雍雍其和　民用悦服　穰穰

其慶　年穀豐殖　望君輿駕　扶老携息　慕

君□軌　□走忘食　懷君惠賜　思君罔極

于胥樂兮　傳于萬億　春侍祠官屬

五官掾章陵劉訢　功曹使安衆劉瑗　主

薄蔡陽樂茂　户曹史宛任□巽

掾新□　功曹史　謙主薄

鄧嶷主　宛趙旻　史宛謝

解说

韩倩 荣吉

汉碑书法在我国历代碑刻书法中是一个辉煌的时期，也是最为精采的时期。目前传世的二百余通汉碑中，庙堂碑又是其中的精品。由于庙堂碑兴起的时候正处在汉隶发展的极盛时期，因此它的艺术性也极高。为了增强神庙的庄严典雅，将碑立于庙前，便于人们瞻仰、观赏。因此，碑文多出自当时名手，书法秀逸雅训，其艺术性自然在诸汉碑之上。

汉代的庙堂碑现存十余通，由于年代久远，多数已经漫漶不堪。《华山庙碑》、《淮源庙碑》、《礼器碑》是其中之佼佼者。《淮源庙碑》虽为宋、明、清各代学者所称道，据说传世皆元代至正四年（公元1344年），吴炳重书本，其意已无汉代原碑拓本传世，故各代学人多闻其名而不得其实。为了使大家能见到这一难得的书法艺术珍品，我们首次影印汉代原碑拓孤本。

此碑刊于东汉桓帝延嘉六年，(公元163年)正月，无书者姓名。汉代原碑传说毁于唐时，故有元代吴炳重书本传世，重刊碑现立于河南桐柏招待所。全碑15行，每行33字。碑文内容是记述南阳太守中山卢奴君修建淮源庙的功德事绩。

此本有清代学者陈鸿寿题签：『汉淮源庙碑』五字，拙朴自然。碑正文前有碑额『汉淮源庙之碑』六字，隶书而蕴藉楷意，极有神采，亦众汉代碑额中少见之书体，从中可看出此时汉隶已发展到了极其成熟的程度。全本碑文30开，每开3行、每行5字，全碑共426字。据考证此本为明代拓本，因此言唐时此碑已毁之说有误，可能明代此碑尚存人间，后不明下落。

此碑书法严密整饬、淳古自然。用笔峻逸洒脱，如有神助。《华岳庙碑》与之相较，多了些装饰性，少了些自然。《礼器碑》则不及此碑之古厚韵足，富于变化。正如吴炳重书本题记中所谓：『隶书之妙，与《刘熊碑》如出一手书风』，此言并非过谀之词。观二碑共存之『五』、『烈』、『寔』、『之』、『明』等字，不但形貌极似，就是神采亦相当。我国著名学者游寿先生，生前见到此本时曾言『有不明汉碑之神韵者，观此本当自知』。此本与元代吴炳重书本相较，大致有以下六点不同。

一、此本笔画淳古，气韵十足，笔势迭宕，自然尽态。吴书本笔画刚直，缺少古厚的气韵。结体较原碑更紧密，不丰富。

二、此本前有碑额六字『汉淮源庙之碑』，而吴书本无额。

三、此本『日』字旁，写为『目』字。这是『日』字旁在汉代没有演变以前的写法，而吴书本已写成了今天的『日』字，如第七行『嘉祥昭格』的『昭』字。

四、此本中多避讳字而缺少笔画。如：第六行第二十三字『慎』，缺下两点；第七行第二十三字『硕』，缺下两点；第十行第十一字『渎』，也缺下两点等等。

五、碑末的题名部分，此本为横向排列，符合汉制，而吴书本竖向排列，改变了原来书写形式。

六、此本碑面石花斑斓自然，且有裂痕数条和残字缺字，吴书本碑面光洁无瑕，没有任何剥蚀。

中国著名碑帖选集

第三集

序号	书名	定价
五十一	淮源庙碑	定价：七元
五十二	封龙山颂	定价：七元
五十三	孔宙碑	定价：八·五〇元
五十四	华山庙碑	定价：八·五〇元
五十五	衡方碑	
五十六	夏承碑	
五十七	郙阁颂	
五十八	鲁峻碑	
五十九	娄寿碑	定价：八·五〇元
六　十	韩仁铭·小子残碑	定价：九元
六十一	尹宙碑	定价：八·五〇元
六十二	广武将军碑	定价：九元
六十三	瘗鹤碑	定价：八·五〇元
六十四	东堪石室铭	定价：十元
六十五	论经书诗	定价：二十二元
六十六	贾思伯碑	定价：七·五〇元
六十七	大代华岳庙碑	
六十八	文殊般若经碑	定价：七·五〇元
六十九	张黑女墓志	
七　十	曹子建碑	定价：九元
七十一	龙藏寺碑	
七十二	臧怀恪碑	定价：十一元
七十三	麻姑山仙坛记	

(吉)新登字 07 号

淮源庙碑　　东汉

责任编辑:孙宝文　　封面设计:金　木

吉林文史出版社出版发行
(长春市人民大街 124 号)
长春第二新华印刷有限责任公司印刷
长　春　科　技　印　刷　厂　装　订

880×1230 毫米　16 开本　2.25 印张
2000 年 1 月第 1 版 2000 年 1 月第 1 次印刷
印数:1—7 000 册　定价:7.00 元
邮购电话:0431－5634143　5634654
ISBN　7—80626—503—1/G·217